KB184797

어떤 마음은
혼자 있을 때 더 잘 느껴져

어떤 마음은 ——————
혼자 있을 때 더 잘 느껴져

초판 1쇄 발행 2018년 12월 4일
초판 2쇄 발행 2018년 12월 11일

지은이 야오야오 마반아스 Yaoyao Ma Van As

펴낸이 이상순
주간 서인찬
편집장 박윤주
제작이사 이상광
기획편집 한나비, 김한솔, 김현정, 이주미, 이세원
디자인 유영준, 이민정
마케팅홍보 이병구, 신희용, 김경민
경영지원 고은정

펴낸곳 (주)도서출판 아름다운사람들
주소 (10881) 경기도 파주시 회동길 103
대표전화 (031) 955-1001 **팩스** (031) 955-1083
이메일 books777@naver.com
홈페이지 www.books114.net

문학테라피는 (주)도서출판 아름다운사람들의 문학 브랜드입니다.

ISBN 978-89-6513-528-9 03800

이 도서의 국립중앙도서관 출판예정도서목록(CIP)은 서지정보유통지원시스템 홈페이지(http://seoji.nl.go.kr)와 국가자료종합목록시스템(http://www.nl.go.kr/kolisnet)에서 이용하실 수 있습니다. (CIP제어번호 : CIP 2018035304)

어떤 마음은
혼자 있었을 때 더 잘 느껴져
야오야오 마반아스
행복한 개인주의자의
누가 있지 않아도 되는 일상

야오야오 마반아스 Yaoyao Ma Van As

로스앤젤레스에서 살며 일러스트레이터이자 애니메이터, 아트 디렉터로 활동 중입니다. 디즈니, 워너 브라더스, 릭앤모티, 스타번스 인더스트리 등에서 여러 프로젝트에 참여해 왔습니다. 스스로를 위로하기 위해 혼자의 순간들을 작은 이야기로 그렸고, 놀라울 정도로 많은 공감과 사랑을 받았습니다.

인스타그램 @yaoyaomva

웹사이트 www.yaoyaomavanas.com

일러두기

본문의 글은 마반아스 작가님이 각 작품에 붙인 제목과 스토리를 바탕으로 그림의 정서를 한결 더 깊게 느낄 수 있도록 문학테라피 편집부에서 구성했습니다.

한국의 독자들에게.

이 책을 통해 하루하루의 순전하고 단순한 즐거움들을 만날 수 있길 진심으로 바랍니다. 산다는 것이 그렇듯 제가 그리는 것 또한 늘 화려하거나 신나는 건 아닙니다. 하지만 우리 주변에는 좀 더 은은한 아름다움이 언제나 존재하고, 보려고 한다면 반드시 발견할 수 있을 거예요.

야오야오 마반아스

차례

일단
일어나긴 했습니다

밤새 뒤척거린 다음날,

침대의 절반을 끌고 나오긴 했지만

드디어 자리에서 일어났다.

좋아,

늦었지만 시작하면 되는 거야.

발걸음을 멈추고

이 풍경의 일부가 되길

간절히 바라며 살아왔다.

하지만 바삐 걸을 때는 몰라도

이따금 멈춰 서면 느껴져.

이곳에 만든 내 자리가 얼마나 연약한 것인지.

바닥은 빡빡 밀어야 제맛

실내 공기가 영 매캐하다 싶었던 날
그래도 사람답게 살아야겠다는 생각에
시끄러운 청소기 대신
재밌어 보이는 밀대를 꺼낸다.

보글보글 거품을 내고 마루를 질주하니까
청소, 썩 즐겁기도 한걸?
파커는 더 신났잖아!

더 엉망이 되고 있는 것 같은 건
기분 탓이겠지?

내가
지켜줄게

나를 지키기에도
늘 작고 부족하게 느껴지던 내 몸이
갑자기 불어온 늦가을의 회오리바람에서
내 작은 강아지를 지키기에는
아무런 모자람이 없다는 게
얼마나 기쁜지.

나만의 세상

볕이 좋은 날이면 시내로 나가 화분을 사고
예약해둔 책도 모두 빌린다.
돌아오는 트램에서 더 기다리지 못하고
제일 읽고 싶던 책을 펼친다.
어느새 흔들리는 차 소리도,
나들이 나온 아이의 조잘거림도 들리지 않는다.

아무래도 상관없어

왜 난 천재가 아닌 거냐고

자학하기도 지치잖아?

그래서 천재 흉내를 냈다.

언제고 찾아올 영감을 기다리며 아껴둔 캔버스 위로

물감을 있는 대로 휙휙 뿌린다.

잭슨 폴록이라도 된듯이,

되도록 거칠게, 막 춤추듯.

느슨한
영화관

소심한 사람들은
영화 하나 고를 때도
걱정이 많다.
같이 보는 사람이
지루해하지나 않을까,
재미없어 하면
상대가 상처받을까.

좋은 건 혼자서,
집에서 보는 영화.
제일 아늑한 자리를
차지하고 누워
넉넉한 팝콘을 껴안고
불평을 중얼거려도
잠들어버려도 상관없는
느슨한 시간.

Movie Night

알바 시작 6시.
첫차 시간 5시.

짜증을 내기에도 너무 피곤한 사람들이

하기 싫지만 하지 않으면 안 되는 일을 하러

듬성듬성 꾸준한 간격으로 앉아 가는 차.

언제나 같은 사람이 같은 곳에서 타지만

끝까지 서로를 모를 차.

가자,
모험을 찾아서

계절 중에는 가을이 제일 좋다.
봄보다 따뜻하고 깊은 색이 좋고
바스락거리는 소리와 마른 냄새가 좋고
열기가 한 김 가신 차분함이 좋아.
그때는 내 강아지만 데리고
되도록 숲속 깊이 캠핑을 가고 싶다.
친근하고 넉넉한 가을의 세상을 보여주고 싶어.
이리 킁킁 저리 킁킁댈 네 신난 꼬리를 생각하면
이미 많이 즐거운걸.

정원의 조수

겨우내 들여놓았던 화분을

부드러워진 땅에 하나씩 다독이며 옮겨 심는다.

그런데 조수가 더 열심이네?

#조수인가_파괴자인가

너무 길고 너무 짧은 밤

밤샘을 하면 여유롭게 마칠 수 있을 것 같다는 생각에
더 이상 속지 않는다.
밤샘을 하게 됐다면 이미 상황은 충분히 나쁜 것.
설거지도 청소도 강아지 산책마저 미뤄도
마치지 못한 일이 있을 때만 자리를 잡는다.
12시 넘어 바뀐 날의 고요함이
문득 무한하게 느껴지기도 하지만
할 일을 떠올리면 그 시간은 너무나 짧다.
그래도 새벽의 어스름을 옆에 두고
피곤한 눈을 어떻게 부릅떠보는 시간은 이상하게 나쁘지만은 않아.
마지막 한 방울까지 짜내야 살아 있는 기분이 드는 걸까.

꼼짝할 수 없는 행복

파커는 꼭 내 곁에서 잔다.

가끔 밤중에 눈을 뜨면

조그만 두 발을 내 얼굴에 올려놓고 잠든

세상에서 제일 평화로운 내 강아지의 얼굴이 보인다.

화장실도 참을 수밖에 없는

마냥 귀여운 모습.

뒷골목의 10분 휴식

종종거리며 접시를 나르다

10분 쉬는 시간이 있으면

꼭 음악을 들었다.

뒷골목의 냄새며 방금 만난

진상 손님 같은 건 싹 잊게 해주는

그런 시끄럽고 귀가 쨍쨍 울리는 음악으로.

이제 이것만
올려놓으면 완♥성♥

내가 이렇게까지 해낼 줄 몰랐어,
잡지처럼 그럴싸한 추수감사절 상차림이 됐다.

그런데 이 소리, 뭐지?

혼자다, 외롭지 않다

가끔 삶이 보여주는 순간들은
누구한테 설명할 필요도 없고
굳이 같이 볼 이유도 없어.
그냥 그 안에서 넉넉히 호흡하면서
나로 있으면 충분하다.

YOU CA
DO I

그러게 페이스북은
왜 ~~~~~~~~ 열어가지고

호기심에 지는 게 아니었다.

옛날에 삭제했어야 할 계정이었다.

망각은 축복이라는데

나는 무슨 사이다를 기대해서

악연을 꾸준히 되새기냐고.

해변의 줄무늬 동물

덥다.

이런 날은 사무실에 있을 게 아니라

해변에서 더위를 더위로 이기고 싶다.

일광욕을 즐기다 수영했다가 산책했다가 하다 보면

몸 위로는 얼룩말보다 재미있는 무늬가 그려지고

그래도 기분만 좋을 텐데.

100

웃음소리도 부서진다

아무도 없는 밤 해변을 작은 강아지와 달렸어.
시원한 바람에 기분이 좋아져서 조금 빨라졌던 걸까,
뒤를 보니 짤따란 다리를 온 힘을 다해 뻗고 있네.
너무 크게 웃었지만 누가 들을 걱정은 없어,
파도가 조각내 쓸어가버렸으니까.

서서히 — 선선히

이른 아침은 계절을 가장 선명히 느낄 수 있는 시간,

담요를 두르고 공기를 들이마시면

알 수 있다.

내가 제일 좋아하는 그 시기에

매일매일 조금씩, 조금씩 다가서고 있다는 걸.

먹어도 먹어도

멈출 수가 없다.

왜 모든 게 맛있는 거지?

이럴 때는 사 먹는 것도 맛있고

내가 만드는 것도 너무 맛있다.

마음속 어디 구멍이 났나

의심해보지만

그런 게 아냐,

그냥 다 맛있는 축복이야!

심리 상담의 세 가지 색채

시간으로 잊지 못했을 때
묵은 마음의 무게에
두 발이 비틀비틀할 때.
가끔 마음도
빨아줘야 하는 거라 생각하며
상담소의 문을 열어젖혔다.

그런데 웬걸,

저 안에는 쌓인 게 얼마나 많았는지
한번 열어주자 나도 몰랐던 내 마음들이
자꾸자꾸 튀어나온다.

이 빨래, 언제 끝나죠.

아침에는 디즈니 공주처럼

창문을 활짝 젖히고
오늘을 시작하는 꽃들에게 물을 흠뻑 주면서
하루를 시작하고 싶다.
예쁜 얼굴이 더 싱그러워지고
간밤의 먼지가 씻겨나가는 모습을 본다면
나도 함께 상쾌해지겠지.

7월의 크리스마스 라이트

마음속에 오래 꿈꿔온 순간이 있다.

반짝이는 건 다 좋아하는

파커를 데리고

다큐멘터리에서 본 반딧불 섬으로

단둘이 캠핑을 가고 싶다

인기척이라고는 없는 곳에서

손전등 하나 들지 않고

작은 빛무리를 따라 하염없이 걷고 싶다.

그 전에 극복해야 할 것 한 가지.

벌레 공포증.

가끔은 슬픔과 싸우지 않는다

찾아온 울적함을 어떻게든 털어내려 바삐 움직일 때도 많지만
때로는 그냥 슬픔에 나를 내준다.
찾아온 마음을 그대로 느낀다.
그래야만 지나갈 수 있는 것들이 있어서.

아침 전쟁

7시 반에 일어나도

균형 감각만 좋으면 모든 걸 해낼 수 있다.

오늘까지 처리할 고지서 네 종

반납 기한 이미 2주 지난 책 세 종

수정 요청받은 시안 네 개

그리고 강아지, 검진에 가야만 하는 강아지.

위에 구멍 날 것 같아 토스트 한 쪽까지 물고 나니

어라? 문을 열 손이 없네?

그렇다면… 발?

주말 ~ 뒹굴

주말 오후의 낮잠은

루프로 만들어 영원히 계속할 순 없을까.

완벽하게 휴식한 몸으로 하는 스마트폰은 왜 더욱 재밌고

내 발을 베개 삼아 누운 묵직해진 강아지도

저렇게 평온해 보일까.

내일 하루도 비어 있다는 사실이

이렇게나 행복할까.

오늘어치의 햇볕

사무실의 이런 소음 저런 말

꾸준히 삼키다 보면 오후가 되고

환기도 안 되는 콘크리트 벽 밖으로 나가

반드시 그날의 하늘을 만나야 하는 순간이 온다.

열 일 제쳐놓고 나가면

그 볕은 참 신기해서

잠시 사이 그날 슬은 녹이 싹 씻겨나간다.

머리가 고요해진다.

첫 강아지의 소나기

안개비인줄 알고 산책 나갔는데
순식간에 소나기가 되었다.
첫 번째 소나기에 놀란 강아지는
낑낑거리지도 못하고 꼭 안겼다.

거센 빗소리, 부서진 빛, 젖어오는 등.
왜 신나기만 했을까.
하지만 강아지, 그거 아니?
들어가면 넌 목욕이란다.

겨우
참.았.다.

주차장이 이렇게 멀었어.

안녕 손 흔드는 사람들에게 같이 손을 흔들어주고

어깨를 들썩이지 않으려고 천천히 숨을 들이마셨다.

한 걸음씩, 느리게 디뎠다.

눈앞은 이미 흐려지고 있지만

휘청이는 건 안 될 일이니까.

겨우 왔다. 아무도 보지 않는 자리로.

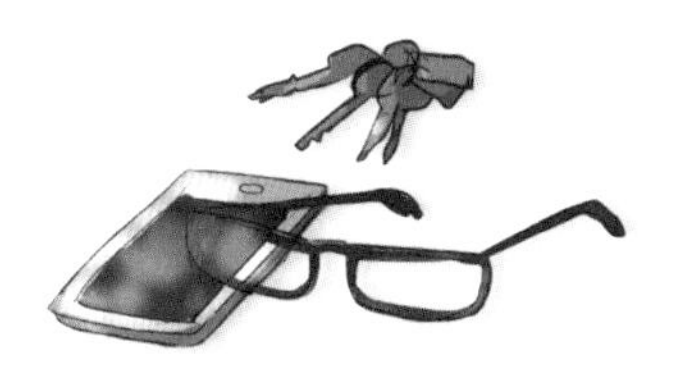

멜랑콜리 크리스마스

크리스마스가 있어서 겨울이 괜찮았던 시절도 있었지만

오늘의 크리스마스는

하필 크리스마스.

조금은 즐거워야 한다는 의무감으로

자그마한 트리 하나를 세웠다.

알록달록 따뜻한 빛이 바닥을 비춰도

위로받기에는

지금 내 발밑이 너무 차가워.

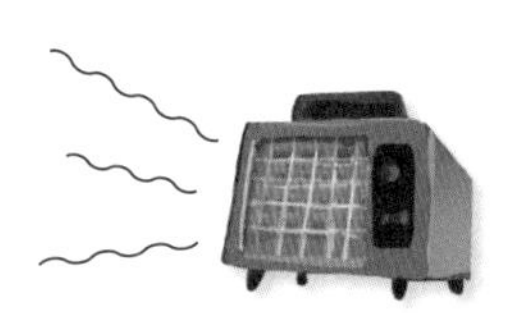

武士道

그런 놈은 그만 만나

야야, 그런 놈은 관둬.

네가 얼마나 괜찮은 앤데, 시간이 아깝다.

세상에 좋은 사람이 설마 없겠니?

아무도 없으면 어쩌냐고?

모르는 소리, 없는 게 나은 놈도 있다고!

투명한 건 겨울 아침

가을을 사랑하고 봄을 기다리고
여름을 만끽하지만
아침이 가장 맑은 건 겨울이다.
정신이 번쩍 들도록 시린 공기가
다른 어느 계절보다 투명해.
귀끝이 얼얼해지기 전까지만
그 시간을 만끽해본다.

아무것도 필요 없어

아직 보드라운 잔디밭

따뜻하지만 따갑지는 않은 햇살

그리고 세상에서 날 제일 좋아하는 강아지.

뭐가 더 있다고 해도

절대 더 행복할 순 없을 것 같은걸.

이제
생각을
끈다

바쁜 일정을 소화하고 돌아와
강아지 밥을 주고,
간신히 옷을 갈아입고 칫솔을 물면
스멀스멀 안도감이 퍼진다.
스크린 앞에 멍하니 누워 있다 잠들어도 아무 상관없는
나 혼자만의 휴식 시간이
그제야 시작된다.

불안은 벼락같이

때로 불안은 스친 생각 한 가지로

벼락같이 찾아온다.

'혹시 그때 그 일이….'

'결국 그렇게 되는 거 아닌가?'

무언가 할 수 있는 일이 있으면 좋은데,

그렇지도 않을 때

방 한구석에서

안달하며 그 어두운 시간을 지나는 수밖에 없다.

힘든 날의 마무리

듣고 싶지 않은 말을 듣고
원치 않는 결과를 받고
그래도 인상 한번 찌푸리지 않고 하루를 살았어.
문을 열기도 전부터 들리는 네 흥분된 발소리에
단단히 질러두었던 빗장이 끌리고
따뜻하고 조그만 혀가 닿으니까
감춰두었던 속상함이 밀려와.
조그만 강아지 안에
얼마나 많은 위로가 담겨 있는 거야.

일찍일찍 다니는 사람이

기다린다.

그것도 엄청.

급브레이크의 이유

급브레이크를 밟는 건 당연히 위험하고

조금 화마저 나는 일이지만

그 이유가 아직 발걸음이 뒤처지는 새끼오리 때문이라면

미소가 먼저 떠오르지.

역시 귀여운 게 제일 강하다.

여름을 보내며

온기는 남았지만 노기는 없는 햇살 아래서
내 강아지와 함께 또 한 번의 여름을 배웅한다.
앞으로도 예쁜 시간은 많이 남아 있어.

망설이지만

어떤 봉투는 가방 속에 너무 오래 넣고 다녀서
너덜너덜해졌지.
그런데 사실 한 순간도 그 무게를
잊은 적이 없었어.
이제 몇 남지 않은 우체통을 지날 때마다
가방이 조금은 더 묵직하게 어깨를 끌어내렸어.
이렇게 낡은 마음이 도착할 곳이 남아 있을까.

내 안에서

꺼져

바다가 인기 없어지기 시작할 때
꼭 한번 홀로 해변을 찾는다.
흘러간 일들과
놓지 못한 미련과
어깨에 실린 후회를 주섬주섬 그러모아
뉘엿뉘엿 넘어가는 해를 향해 뿜는다.
마침내 놓는다.

YAO

나를 대접하는 날

드문 휴일에는 일정을 비워 나를 대접한다.
사보고 싶었지만 부담스러웠던 재료,
성공할지 모르겠어서 도전하지 못했던 요리.
천천히 시간을 들여서 만들고
역시 아껴만 두었던 접시와 테이블 매트를 꺼내서
정갈한 상을 차린다.
자리에 앉아 와인도 한 잔 따를 때까지
한두 술이라도 먼저 먹지 않는다.
포크를 들고 한 입 한 입
천천히 음미한다.

네가 말을 할 줄 알면 좋겠어

다친 줄도 모르고
산책만 나오면 신나던 네가 왜 기운이 없을까
며칠이나 이리저리 끌고 다녔어.
다리가 아파요,
네가 그 한마디만 할 줄 안다면 얼마나 좋을까.
아니면 내가 강아지 말을 알아들었더라면.
오르락내리락하는 따뜻하고 작은 몸을 꼭 끌어안고
마음으로 중얼거린다.
'미안해, 미안해, 미안해.'

배고픔과 졸림 사이

정말 피곤할 때는

배가 고픈 건지 잠이 오는 건지

뭐가 더 급한 건지 모르겠다.

아침에 먹다만 식탁 위의 빵 한 조각을 들고 자리를 잡았는데

까무룩.

고양이들만 신이 났네.

맞는 게 없어

날이 추웠다.
나는 바빴다.
조금 덜 움직이고
조금 더 편하게 먹었을 뿐이야.
그게 그렇게 나쁜 일이야?
왜, 왜,
맞는 게 양말뿐이야?

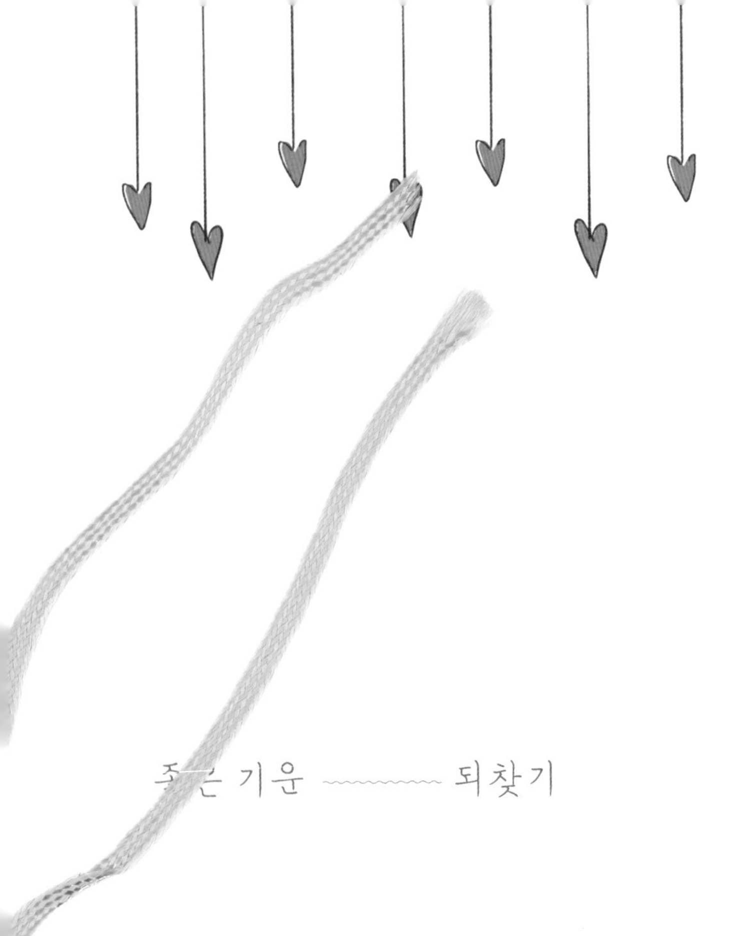

좋은 기운 ~~~~~~~~ 되찾기

금요일이 너무 멀었던 한 주.

몸도 마음도 닳아버렸다.

그냥 누워 있는 것만으로는 개운해지지 않을 것 같아.

도시의 소리에서 멀어질 수 없을까.

개울 소리, 풍경 소리, 수풀의 작은 속삭임을 들으며

내 안을 고요하게 만들고 싶어.

그렇게 마음을 다시 시작하고 싶어.

5:00

하루의 느릿한 시작

뒤척이느라 잠들지 못했던 날의

아침 햇살은 왜 유독 날카로운지.

시간 맞춰 몸을 일으켰지만

좀처럼 어깻죽지에 힘이 들어가질 않아.

커튼의 틈새로 비집고 들어온

새로운 날을 엿보며 생각해.

'연가… 며칠 남았더라?'

비가
너무 싫어요

파커는 비를 싫어한다.

산책하자고 부추겨도 못 들은 척.

아직 어두운 하늘을 겁내는 애기이기도 하고

어쩌면 비 오는 날에 돌아다니면

바로 목욕이라는 걸 이미 익혀서 그런지도.

그런데 꼭! 화장실은 밖에서!

나도 나가기 싫은데!

금요일이니까 좋아

금요일이란 이름이 주는 설렘은
어설픈 연애 감정에 비할 수 없다.
내일은 쉴 거라는
그 확고하고 안정된 따뜻함,
분명히 실현될 기대감.
마치 마음 한구석 가득
새빨간 풍선이 떠오르는 것만 같지.

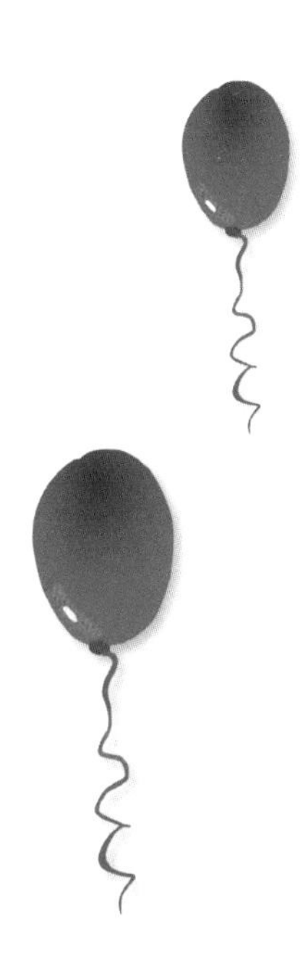

실망스러운 ― 소식

날은 맑지만,

만나기로 했던 그 사람에게는

하고 싶은 말도 많지만,

오늘 그냥 집에 있으면서

햇볕을 구경하고

같은 책을 스물세 번째 읽어도 된다는 게

얼마나 신이 나는지 몰라.

안심한 강아지는 얼마나 더 귀여운지 몰라.

그런 날

그런 날 알아요?

노란 햇살이 나를 따라오는 것 같은 기분.

발코니에 앉아 브런치를 먹는 커플도,

길가에 화사하게 피어난 꽃도

이 순간의 나를 위한 것.

그런 날, 당신도 아나요?

오늘
왜
화요일이죠?

금요일 아닌 거, 확실한가요?

내 척추로 봐서는 최소 목요일인데?

SILK

일어난 거
다 ~~~~ 안다

부지런하고 예민한 강아지 파커,

첫 햇살이 들어오면 어김없이 깨어나서

다다닥 집을 헤매다가

더 이상 못 기다리겠다는 듯 침대로 뛰어오른다.

두 발을 얹고 꼬리를 흔들며

짖지도 않고 기다리는 착한 너

자는 척 할래도 눈망울이 이미 다 알고 있네.

해가 안 나면,
당겨오면 그만!

칙칙해서 기운이 다 빠져버리는데

좋은 일이라곤 없는 날이면 그런 상상을 했다.

카우보이들처럼 밧줄을 던져서

해를 끌어오는 거야.

하늘에 빛을 채우는 거야!

행복은 찾을 수도 있는 것

이럭저럭 마음에서 그림자가 가시지 않는 날이면

해보는 일이 몇 가지 있다.

오늘은 크리스마스 라이트 달기.

박스들을 헤집어 찾은 작은 전구들의 먼지를 털어내고

곳곳에 핀을 둘러주면

어둑해진 날 사이로 작은 빛이 총총 박히고

어느새 나는 내일이 기다려진다.

설거지는 미루는 수밖에

이제 정말 깨끗한 그릇이 단 하나도 없다.

꽃병으로 물을 마시며

오늘은 반드시 설거지를 하겠다고

어렵게 마음을 먹고 시작했건만

우리 강아지, 너무 하기 싫었던 내 마음을 안 거야?

왜 자꾸 춤추는 거야?

그럼 어쩔 수 없지,

설거지는 또 미루는 수밖에!

할 수 있어,

할 수 있어,

할 수 있어,

할 수 있어

해내야만 한다.

할 수 있어. 할 수 있어. 할 수 있다고

거듭거듭 말해보는데

왜 손톱은 질근질근 씹는 걸까.

빨간 우산 노란 우비

어떤 꿈은 실현할 수 있지,

노란 우비에 빨간 우산이 그래.

거기에 비 오는 날에 잘 어울리는 선곡 리스트 하나면

맑은 날에는 없는 즐거움이 느껴져.

비록 그 길이 출근길이라도 말이야.

마감의 회오리

어려운 시절 덕에
일은 있으면 감사해야 하는 거라고 알고 살아왔다.
프리랜서라면 더 그렇다.
아니 그런데, 그래도, 정말
일정 이게 최선인가요?

지금은 ~ 기다리는 중

비는

뚫고 지나가는 것이 아니라

고요히 바라보며 긋는 것.

말만 ~~~ 말이 아니야

무슨 시간이라고?

웡!

놀 시간이야?

웡웡!

스웨터, 부츠,
그리고 뜨거운 라떼

찬바람을 기다린다.

서늘하지만 에이지 않는 바람이 불고

투박하게 짜인 두툼한 스웨터가 포근한 절기,

카페에서는 망설이지 않고 뜨거운 라떼를 주문하는

그런 계절을 준비한다.

HARRY POTTER

월요일,
어쨌든 해치우자고!

질척대며 붙잡아봤지만

결국 주말은 가고

월요일 아침은 왔다.

햇살은 눈부시고,

그래, 기왕에 못 해낼 것도 없잖아?

머리를 질끈 묶고

오늘은 좀 더 빠른 걸음으로 나선다.

출근이 운명이라면 그 잔을 받겠소!

첫 눈에 반하다

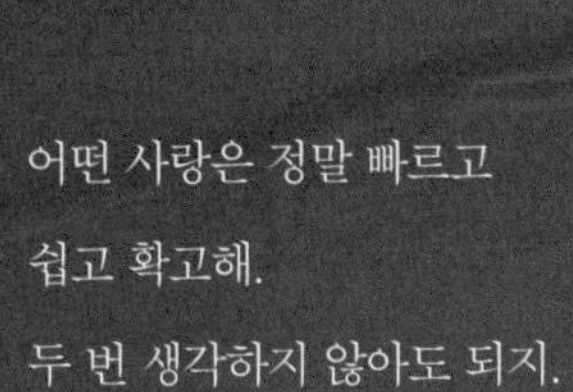

어떤 사랑은 정말 빠르고
쉽고 확고해.
두 번 생각하지 않아도 되지.

TAXI

회심의 역작

완벽한 동글동글 호박을 골랐다.

속을 파내느라 얼굴까지 씨범벅이 되며

우리 강아지 얼굴을 새겼다.

파커, 요게 너야, 닮았니?

내 안에서 흘러나온 음악

포카혼타스를 너무 좋아했던 탓일까,

바람이 선선해지면

소녀 시절에도 말 못했던 꿈이 떠올라.

내 안 어딘가 숨겨진 이야기가 있어서

탁 트인 외진 절벽을 만나면

그 이야기가 아름다운 노래로 흘러나올 거라고,

떠나가는 철새들이 그 소리에 귀 기울일 거라고.

감정
짜.내.기.

지질한 거 알아,

옛날 일인 거 알아.

그런데 지금은 그냥 울 거야.

발라드 들을 거야, 아주 그냥 감정에서 헤엄칠 거야.

남은 찌꺼기 붙들고 쭉쭉 짜내고 나면

내일은 숨 쉬기가 훨씬 좋아진단 말이야.

비가 오면

돌아오는 것들

비 오는 날이면 강아지들에게는 시각적 설명이 필요하다.

이렇게 비가 많이 와, 보이지? 그래서 오늘은 산책 안 돼.

엄마가 게으른 게 아냐.

강아지는 충분히 본 것 같은데

내가 창 앞에서 일어나질 못한다.

젖은 풍경과 푸르스름한 빛은 묵혀둔 것들을 자꾸만 되살리고

나는 잠시 아이가 되어

뿌옇게 흐려진 창문에 늘 하던 낙서를 한다.

뽀드득, 소리와 함께 잊었던 얼굴이 하나둘 떠오른다.

설레도 돼

루돌프 코가 반짝이는 스웨터를 입어도

24시간 머라이어 캐리 메들리를 돌려도

백화점을 몇 바퀴씩 돌며 카드를 좀 과하게 긁어도

나를 좀 용서해줘도 되는

그때가 왔다.

그리고 그 시작은 바로! 나무 한 그루!

낡은 책이
더 두근거려 ~~~~~~

우리 동네에는 오래된 도서관이 있다.

30년이 넘어 양장이 반들반들해졌고

조심스레 넘기지 않으면 속지가 자꾸 자유를 찾는 그런 책이 가득한 곳.

이제 사람들이 많이 찾지는 않지만

오랜 시간 받아온 사랑의 흔적이 역력한 모습에

묵직하고 습기 찬, 세월 같은 냄새에

가슴은 점점 뚜렷하게 두근거린다.

유행이 지났지만 사랑스러운 일러스트들

유독 여러 사람들이 머문 문장

여기에서라면 나도 뭔가 숨겨진 이야기를 찾아낼 수 있을 것 같아.

강아지 ~~~~~~~~ 생일 파티

파커는 자기 생일을 모르겠지.

왜 오늘은 이렇게 오래 놀아주는지,

간식을 많이 주는지,

장난감을 다 꺼내놓는지.

갸우뚱하지만 즐겁겠지.

어쩌면 이건 나를 위한 파티야.

평소에 다 주지 못한 사랑을 모아서 줄 수 있는 그런 날이야.

비가 와도,

무엇이 와도

가야할 길은 가야만 하고

오늘 내게 그것은 회사.

언젠가 다른 길도 갈 수 있을까?

일부러 그러는 거 아니고?

기부금 영수증 한 뭉치,

아직 보험 청구 못한 병원 영수증,

잡다한 급여 명세서…

미루다미루다 겨우 시작했는데

신이 난 강아지 한 마리가 주말 오전을 날려버렸어.

그 노래가 나왔다

시간이 아주 많이 지나
상처가 낫다 못해 가물가물해진 시간들도
가끔은 우연히 들려온 노래 한 곡에
다시 오늘이 되어버린다.
그래도 지나간 시간을 아는 건
그때는 죽지 않을까 싶었던 괴로움이
지금은 어릿하고도 달콤한 그리움으로 오기 때문에.

위로는 들이치는 비

월세 싼 방의 천장에는 비가 새고
그릇이라고 있는 건 죄다 싱크대에 쌓여 있다.
겨우 빨래를 돌렸지만 마를 것 같진 않아.
이럴 때는 그냥 창문을 열어버린다.
남아 있는 위로는
들이치는 비를 멍하니 바라보는 것뿐.
그래 괜찮아,
가끔은 비가 오는 날이 필요해.

Ugh

으슬으슬해지라고 하는 건데

케케묵은 귀신까지 불러낼 연출을 하고 있지만

첫 핼러윈을 맞는 용감한 아기 고양이에게는

이 모든 게 신나는 파괴의 대상일 뿐.

HALLO

때를 놓친 마음

늘 제때 슬퍼할 수 있는 건 아니다.

지금 괴로워하기 시작하면

걷잡을 수 없을 것 같아서

종종 마음을 미룬다.

나오지 못한 것들은 때로는 부스러지지만

때로는 조용해진 순간을 기다려

어깨의 작은 떨림으로

훅 조여드는 호흡으로

그렇게 스며 나온다.

숨

새벽 바다에 머리를 담그고 최대한 오래 참아본다.

콧등과 미간이 싸하게 매워지고

가슴이 목구멍으로 조여들 때까지

두 발을 팔랑거리며 물속을 헤치다 보면

좀 더 버티고 싶었는데, 머리가 이미 수면으로 솟고 있다.

소금기 섞인 공기가 폐를 가득 메우고 나면

어쩐지 안심이 돼.

아직 이토록 살고 싶어 했구나.

Breathe

안녕 아침,
안녕 인생

맨발로 온실에 나가 햇살을 만나는
그런 아침을 가끔 상상한다.
찬바람은 막아주고
아직 어린 햇살만 건너와
덜 깬 몸을 살살 덥혀주는 아침.
그런 아침이라면 나머지 나날도 조금 더 살만할 것 같아.

다시,
시작

"아무리 고쳐도 닦아도 배치를 바꿔봐도
지금 이 자리는 절대 그 묵은 때를 벗지 못할 거야."

그래도 익숙해서, 정이 있어서
발버둥 치면서 버텨왔지만
사실은 오랫동안 알고 있었다.
눌러왔던 소리가 결국 마음에서 올라오고 말았다.

이제는 처음부터 반듯한 공간을 찾아내야 할 때.
서두르지 않아도 괜찮으니까.
빛이 잘 들고, 벽은 든든한 곳으로.
조금은 힘을 빼도 되는 곳으로.

들어갈 때는,
갑자기!

이 물의 파란색은 너무 짙고

그 안에는 내가 이름을 모르는 것들이 많이 살겠지.

어떤 걱정은 무겁고 어떤 두려움은 사소하지만

알고 있다,

몸을 던져 넣고 나면

새로운 감각 속에서

예전의 무게는 어느새 그다지 느껴지지 않으리란걸.

그래서 들어간다, 이렇게!

bus stop
10
13

마지막 버스를 기다리며

이럴 때는 꼭 휴대폰 배터리까지 나가기 마련이라
기댈 것은 정류장 광고판의 푸르스름한 빛이 전부다.
30분쯤 기다리면 버스가 올 거라고
비바람에 낡아진 안내문이 말하고
도로에는 10분째 차 한 대 지나가지 않지만
나는 그 약속을 믿는 수밖에 없다.
알고 보면 이 도시에 남겨진 건 나뿐이 아닐까,
차라리 그런 상상을 하면서
이 시간 이곳에 나를 데려다 놓은 오늘을
애써 떠올리지 않는다.

행복의 조건

사람마다

행복에 필요한 것들은

다르겠지.

내 경우에는

너무 여러 번 읽어서

곧 외울 수 있을 것 같은 책,

창문을 선뜻 열 수 있는 날씨,

그리고 되도록 많은 고양이!

그렇게 ~~~~~~ 가을이 온다

절대 오지 않을 것 같았는데

가을이 온다.

가차없던 햇살이 누그러졌을 뿐

아직 모든 게 거센 녹색이지만

나는 열심히 가을을 부른다.

서두르라고, 먼저 시간을 맞은 가지들을 꽂는다.

기모 바지에 따뜻한 차,
그리고 비

비 오는 아침,
넣어두었던 기모 추리닝 바지를
다시 꺼내입는다.

물을 올리고
선물 받은 티백을 꺼내본다.
우유도 데울까.

아냐 됐어.
창가 옆에 앉아
빗소리를 듣는다.

그래도 컵라면은 따뜻했지

꿈이라는 걸 따라왔더니

창문도 없는 방이 집이 되었다.

바닥이 너무 차서 상자를 깔고 이불을 깔았다.

그렇게 지나간 시간에서

그래도 컵라면은 매번 따뜻했다.

벽에 해가 뜬 창문을 그려 넣으며

나에게 말했다.

내가 잘못 생각한 게 아니야.

이 시간을 지나면 되는 거야.

KEEP YOUR CHIN UP
SILVER LINING
OLD VHS
CHIPS

저녁에는 누군가를 만납니다

잘 알지 못하는 사람과 가까워지는 건
두려움 한 스푼.
설렘 두 스푼.
여태까지와 그렇게 다를까 싶다가도
나는 아직은 좋은 신호들이 더 많이 들어온다.

이건 과한가 그렇다고 이건 또 너무 편한 걸까
옷장을 아무리 뒤적여도 뾰족한 수가 없어서
늘 입던 정답을 걸친다.
운이 좋다면 점점 편해지겠지만
아직은 서로에게 더 반하고 싶어.

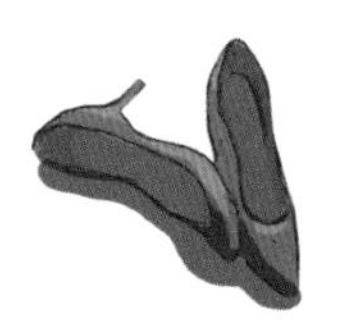

살아 있어서 다행이야

이만하면 계속해서 살 수 있겠다고
더 오래, 더 많은 것들을 보고 싶다고
결심하게 되는 이유들은 아주 작은 것들.
잠시 쉬려고 앉은 바위가 햇살에 데워져 따끈할 때,
그 순간 낯설고 고운 새소리가 들려올 때,
오늘은 행복해도 된다고
누군가 속삭이는 듯한 신호들을 만날 때.

스트레에 ~~~~~ 치!

고개는 30도 허리는 15도 손목은 요리조리
그렇게 화장실 가는 것도 잊고 하루를 보내다 보면
마감은 맞출지 모르지만 몸이 나를 용서해주지 않는다.

그래서 잊지 않는 화해의 시간.
아직 연골이 두툼할 때,
인대에 회복의 여지가 남아 있을 때
쭈우우욱!
팔다리를 뻗는다.
조금씩, 조금씩 모든 것을 제자리로 돌려놓는다.

ART SUPPLIES
clay
paper
CABLES
TAPE
BRUSHES
MISC
PAINT
5 LB

과거에 대처하는 법

…은 삭제, 삭제, 그리고 또 삭제!

온전히

눈에 들어오는 것들이 너무 아름다울 때면
이 자리에 있고도 없다.
내 눈에 지금 들어오는 풍경이 아니라
어딘가 한걸음 떨어져
풍경의 하나가 된 내가 보인다.

Undisturbed

이제 겨우 혼자가 됐으니까

사람에 지친 날은

제일 좋아하는 레코드를 올린다.

탁음 섞여 더 좋은 소리에 맞춰

옷을 던져버리고 되는대로 흔들면

하루가 고스란히 털려나간다.

우스꽝스럽지만 괜찮아,

이제 겨우 혼자가 됐으니까.

음식은 따끈할 때
~~~~~~~~~ 먹는 거라 배웠어

망설였다.

그래도 공원도 아니고, 버스정류장에서 뭘 먹는다니.

먹다가 버스가 오면 또 어떡하고.

하지만 상자에서 올라오는 따끈한 온기가 말했다.

'나를 먹어, 지금이야.

다시는 이만큼 맛있지 않아.

어차피 아무도 없다고.'

투명한 수면

아래에서

자기들만의 즐거운 삶을 사는
크고 작은 물고기들.
또륵 눈만 굴리는
표정 없는 얼굴들.
이따금 말을 걸고 싶지만
혼자 내버려두는 게 더 행복하겠지.

GOALS:
-BE
HAPPY

행복해지는 노래

어떻게 행복해질지 계획을 세우려다
그냥 지금 행복해지기로 했다.

우쿨렐레를 짚으면서
옛날 노래들을 흥얼거리니
파커가 핥는다.
너도 음악을 아는구나?

#그만하라는_뜻이야
#그만해

차가운 시선

오늘은,

벽에 간 금이 점점 더 커지고 있다는 걸

도무지 무시할 수 없다.

이 방의 가구는 하나같이 얼룩이 있거나 싸구려라는 것.

새로 넣은 이력서들에는 회신이 없다는 것.

동전도 기운도 없어서 빨래방에 간 지 한참 됐다는 것.

이 모든 것이 잔인하게 선명하다.

RAMEN

엄마,
엄마,
엄마,

안아봐

요 강아지는

내가 한참 산만할 때는 혼자 잘 놀다가

딱 집중하려면 고개를 주억거리며

안아줘, 안아줘 한다.

하지만 사실 넌 내내 기다린 게 아닐까,

계속 놀고 싶었는데 기다려줬던 거 아닐까.

지도 밖으로

소중하게 쌓아 올린 일상이지만
가끔은 모든 것이 지긋지긋해.

길이 없는 곳을 향해
누구의 발도 닿지 않은 그 어떤 곳을 향해
아무도 지켜보지 않는 곳을 향해
미끄러지듯 사라지고 싶어져.

도시의 비

도시의 비를 좋아해.

번진 네온사인의 빛을 좋아해.

오가는 모든 것들이 흐릿해지고

빗소리에 덮이는 걸 좋아해.

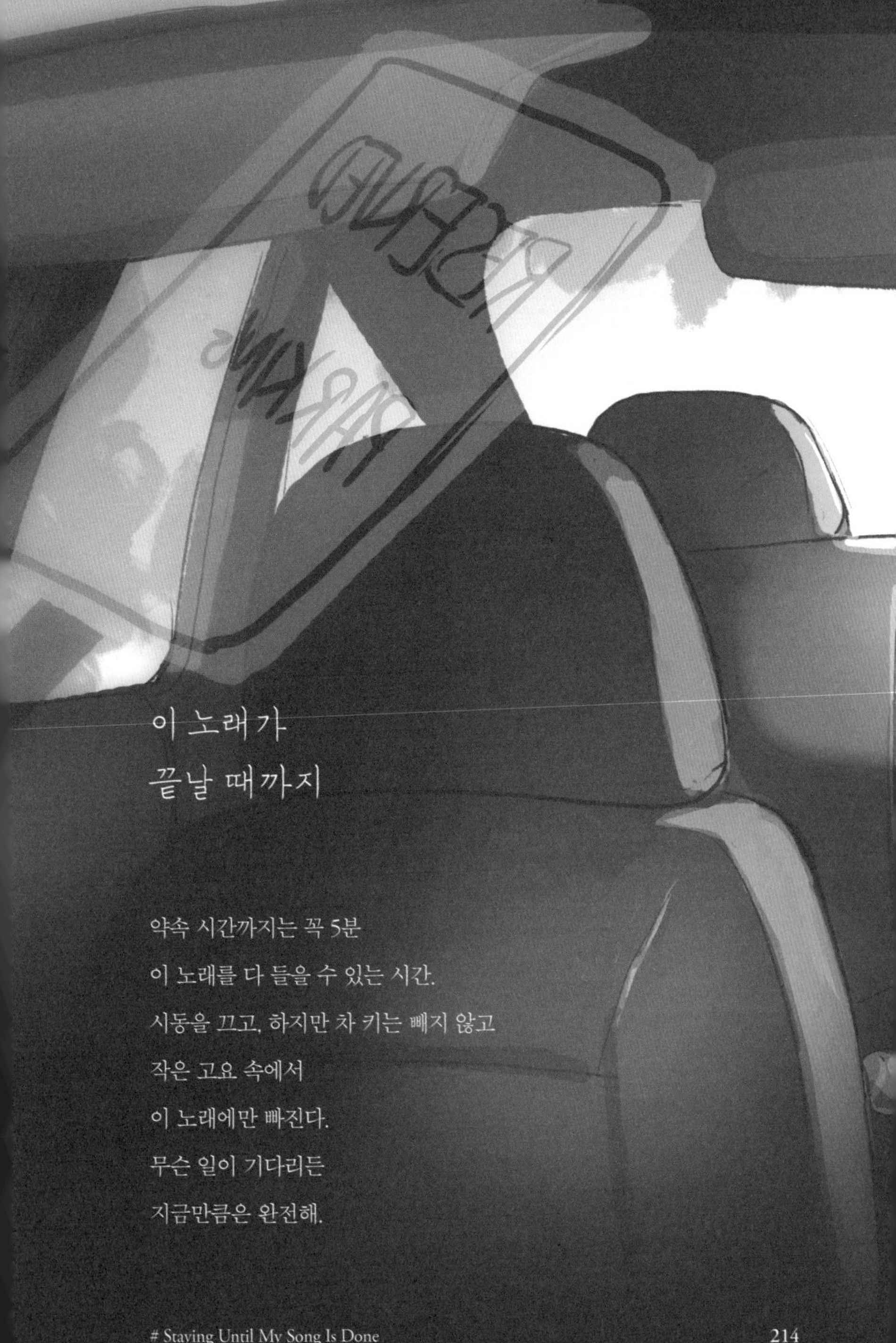

이 노래가
끝날 때까지

약속 시간까지는 꼭 5분
이 노래를 다 들을 수 있는 시간.
시동을 끄고, 하지만 차 키는 빼지 않고
작은 고요 속에서
이 노래에만 빠진다.
무슨 일이 기다리든
지금만큼은 완전해.

출근길

조금 한가한 노선에서 살아서 다행이야.

종이 신문을 펼쳐도

눈치 보이지 않을 만큼의 자리가 난다.

옆자리 할아버지가 열심히 신문을 훔쳐봐도

신경 쓰지 않을 만큼의 여유가 난다.

현장 검거

어이 거기,

어느 집 강아지가 그렇게 순진한 눈빛 하지요?

현실도피는
~~~~~~ 달콤하게

겨우 주말인데
일이 정말 너무 많잖아?
이불 속으로 도망가고 싶은데
몸이 이미 깨버려서 다시 누울 수도 없잖아?
그럴 때면 쿠키를 굽는다.
버터와 계란이 넉넉히 들어가고
오래 굽지 않아서 가운데가 촉촉한 쿠키.
집을 달콤한 냄새로 채우고
서너 개 먹어치우고 나면
포만감과 함께 결심이 선다.
'이제는 물러설 수 없다.'

강아지의 사정

파커야

요새 해가 일찍 뜨지,

그리고 신기한 새가 마당에 있지.

하지만 지금은 새벽 다섯 시 반,

강아지가 사람의 사정을 알아줄 건 아니겠지만

지금 그렇게 끝내주게 짖으면

조금 있으면 재계약인데

우리는 어떡하니?

뒷정리

망가지고 부서지다가 마침내 바닥을 치고 나면

이제 잔재를 주울 때.

덤덤하고 차가운 마음이 되는 건

조금은 멀어지고 있기 때문일까.

오늘은 끝까지 갈 거야

며칠간 내가 계속 마음에 들지 않았다.

하는 일도 마음도 태도도

다 미적지근하고 어설펐다.

결국 이게 나일까?

너무 생각이 많아질 때는

달린다,

최대한 빠르게.

5킬로미터, 꽉 채워서.

그때만큼은 나를 다 쓰고 있다는 걸

조금도 의심할 수 없으니까.

완전한 순간

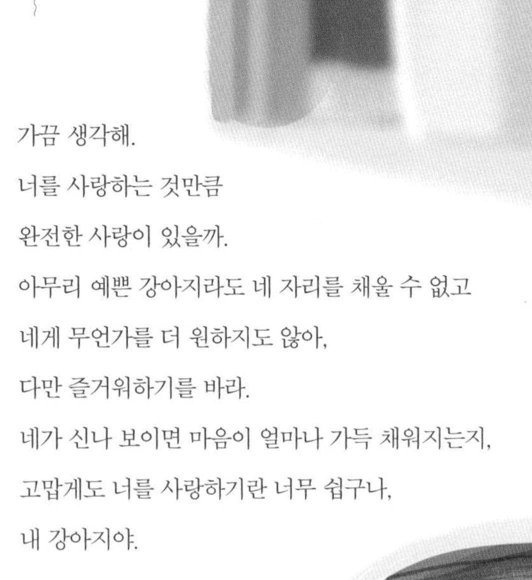

가끔 생각해.

너를 사랑하는 것만큼

완전한 사랑이 있을까.

아무리 예쁜 강아지라도 네 자리를 채울 수 없고

네게 무언가를 더 원하지도 않아,

다만 즐거워하기를 바라.

네가 신나 보이면 마음이 얼마나 가득 채워지는지,

고맙게도 너를 사랑하기란 너무 쉽구나,

내 강아지야.

자전거 위에서만 볼 수 있는 것

자동차 운전보다

자전거를 타는 게 훨씬 좋아.

어디로 가는지 생각하는 대신

지금 얼굴에 부딪치는 바람에

내 뒤로 넘어가는 풍경에 집중하게 되잖아.

걸을 때는 너무 느리고

차를 탈 때는 너무 빠른

자전거 위에서만 볼 수 있는 세상이 있어.